Дорогие родители

Книги Beelingual UK создавались с такой целью, чтобы Вы принимали уч
Вашего ребёнка. Очень важно, чтобы дети развивали грамотность в сво
параллельно с изучением английского языка.

Как пользоваться этими книгами:
Используя иллюстрации, задавайте вопросы Вашему ребёнку на его родном языке
и обсуждайте:

• Что он видит • Что ему нравится • Какие чувства вызывает у него эта картинка

Трудолюбивая пчёлка покажет вам, как правильно произносить слова на английском языке.

Мы надеемся, вам понравится вместе читать наши книги.

Команда Двуязычных Пчёлок Bee Lingual UK.

Dear Parents

Bee lingual UK books are designed for you to take part in your child's learning.
It is very important for children to develop literacy in their first language alongside learning English.

How to use these books:
Please use the pictures to ask your child lots of questions in your first language to discuss:
• What they see • What they like • How it makes them feel

The busy bee shows you how to begin to learn how to pronounce the
English words phonetically.

We hope you enjoy the book together.

The Bee lingual UK team

60000356894

NormanWoods
PUBLISHING LTD

Привет. Я Ника. Мне 13 лет.

Hi I am Nika. I am 13 years old.

Хай ай эм Ника. Ай эм сёртиин йеаз олд.

Я приехала в Великобританию из Литвы.

I moved to the UK from Lithuania.

Ай мувд ту зэ ЮКей фром Лифьюэния.

А где живёшь ты?

Where do you live?

Уэа ду йу лив?

У меня очень большая семья и мои родные
живут по всему миру.

I have a very big family and they live all
over the world.

Ай хэв э вэри биг фамили энд зей лив ол оува зэ волд. 🤖

Это мои бабушка и дедушка.

These are my grandparents.

Зиис аа май грандпэарантс. 😊

Дедушка Оскарас и бабушка Аида.

Grandpa Oskaras and Grandma Aida.

Грандпа Оскарас энд Гранма Аида. 😊

Они живут в Литве в маленькой деревне.

They live in Lithuania in a small village.

Зэй лив ин Лифьюэниа ин э смол виладж. 😊

Я навещаю их летом.

I visit my grandparents in the summer.

Ай визит май грандпэарантс ин зэ сама. 😊

Это мой дядя Бенас. Он работает в Испании.

This is my uncle Benas. He works in Spain.

Дыс из май анкл Бенас. Хи уоркс ин Спэйн. 🤖

Мы переписываемся по электронной почте и посылаем фотографии.

We e-mail him and send pictures.

Уи имэйл хим энд сэнд пикчас. 🤖

Моего самого старшего брата зовут Эймантас.

My oldest brother is called Eimantas.

Май олдест браза из колд Эймантас. 😊

Он водит грузовики в Америке.

He drives lorries in America.

Хи драйвз лориз ин Америка. 😊

Это моя прабабушка Ольга.

This is my great grandma Olga.

Дыс из май грэйт гранма Олга. 😊

Я её вижу не часто,

I don't see her very often,

Ай доунт сии хё вери офтен, 😊

но мы разговариваем по телефону.

but we talk on the phone.

бат уи толк он зэ фоун. 😊

Моя подруга Анастасия со своей семьёй в прошлом году уехали жить в Ирландию.

My friend Anastasia and her family went to live in Ireland last year.

Май фрэнд Анастэйзия энд хё фамили уэнт ту лив ин Айланд ласт йеа. 😊

Мы общаемся в интернете и рассказываем друг другу как прошёл наш день ....

We chat online and tell each other about our day.........

Уи чат онлайн энд тел ич азэ эбаут ауа дэй .... 😊

15

.... а это я, моя мама, мой папа и моя сестрёнка Эва.

.... and this is me and my mum, dad, and younger sister Eva.

...... энд дыс из ми энд май мам, дад, энд янга систа Эва. 😊

Мы все вместе живём в нашем уютном доме в Англии.

We all live together in our cosy house in England.

Уи ол лив тугеза ин ауа коузи хауз ин Ингланд. 😊

Когда я вырасту,

When I am older,

Уэн ай эм олда,

я бы хотела путешествовать по всему миру.

I would like to travel all over the world.

ай вуд лайк ту травел ол оува зэ волд.

Я бы хотела побывать в Лондоне.

I would like to visit London.

Ай вуд лайк ту визит Ландан.

Я бы хотела посмотреть, где живет
Королевская Семья ......

I would like to see where the Royal Family live......

Ай вуд лайк ту сии вэа зэ Роял Фамили лив ......

Маленькая Русалочка, Копенгаген, Дания.

The Little Mermaid, Copenhagen, Denmark.

Зэ Литл Мёмейд, Коупенхэйген, Дэнма(р)к.

Эйфелева Башня, Париж, Франция.

Eiffel Tower, Paris, France.

Айфл Тауа, Парис, Франс.

Пизанская Башня, Пиза, Италия.

The Leaning Tower of Pisa, Italy.

Зэ Лиинин Тауа оф Пииза, Итали.

Колизей, Рим, Италия.

Colosseum, Rome, Italy.

Коласиэм, Роум, Итали.

.... и посмотреть эти достопримечательности в Европе.

...... and see these famous landmarks in Europe.

...... энд сии зиис фэймоус ландма(р)кс ин Йуроп.

Где бы ты хотел жить?

Where would you like to live?

Вэа вуд ю лайк ту лив?

Это моё семейное древо.

This is my family tree.

Дыс из май фамили трии. 😊

А ты можешь нарисовать своё семейное древо?

Can you draw your family tree?

Кэн йу дроо йо фамили трии? 😊

Моё семейное древо   My family tree

Май фамили трии

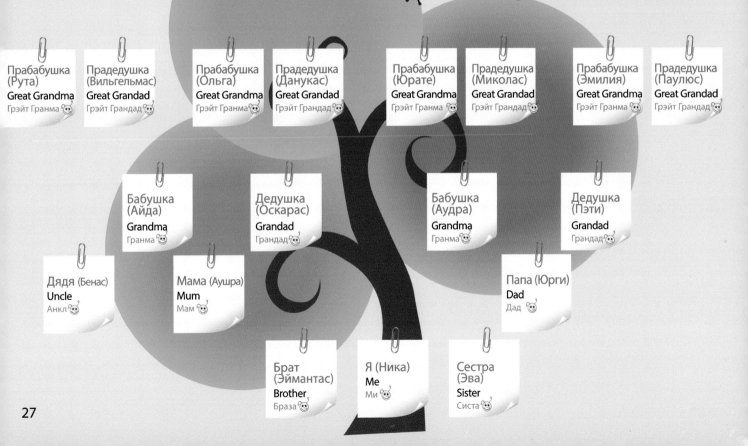

Прабабушка (Рута)
Great Grandma
Грэйт Гранма

Прадедушка (Вильгельмас)
Great Grandad
Грэйт Грандад

Прабабушка (Ольга)
Great Grandma
Грэйт Гранма

Прадедушка (Данукас)
Great Grandad
Грэйт Грандад

Прабабушка (Юрате)
Great Grandma
Грэйт Гранма

Прадедушка (Миколас)
Great Grandad
Грэйт Грандад

Прабабушка (Эмилия)
Great Grandma
Грэйт Гранма

Прадедушка (Паулюс)
Great Grandad
Грэйт Грандад

Бабушка (Айда)
Grandma
Гранма

Дедушка (Оскарас)
Grandad
Грандад

Бабушка (Аудра)
Grandma
Гранма

Дедушка (Пэти)
Grandad
Грандад

Дядя (Бенас)
Uncle
Анкл

Мама (Аушра)
Mum
Мам

Папа (Юрги)
Dad
Дад

Брат (Эймантас)
Brother
Браза

Я (Ника)
Me
Ми

Сестра (Эва)
Sister
Систа

27

C.v Hi, we are Carrie and Kate, the Bee Lingual team.

Carrie

Kate

"I couldn't find the books I needed to support our Russian pupils and parents"

"I jumped at the opportunity to be involved in children's books!"

- 20 years teaching experience
- Leading teacher for teaching English as an additional language
- Loves drawing and telling stories!

- Graphic designer
- 14 years experience in branding, printing and marketing.
- Loves photography and is a book worm!

.... so Bee Lingual UK was born.

Copyright © Carrie Norman and Kate Woods. All rights reserved. First paperback edition published in 2013 in Great Britain.

British Library Cataloguing in Publication Data. A catalogue record for this book is available from the British Library. Printed in the UK. ISBN 978-1-910058-09-1

No part of this publication may be reproduced, stored in a retrieval system or transmitted in any form or by any means, electronic, mechanical, photocopying, recording or otherwise, without the prior permission of the publisher.

Published by Norman Woods Publishing. Designed and Set by Bee lingual UK. For more copies of this book, please email: info@beelingualuk.com

Although every precaution has been taken in the preparation of this book, the publisher and author assume no responsibility for errors or omissions. Neither is any liability assumed for damages resulting from the use of this information contained herein.

"A special thankyou to Valerie Robins for translation, expertise and enthusiasm!"